rigolos, féroces

ou gentils, découvre-les ici.

Je **te vois !**

# Sommaire

Les dinosaures furent les plus grands des animaux terrestres…

# Les dinosaures

Les dinosaures ressemblaient un peu à des reptiles, mais ils marchaient debout sur leurs pattes, ce qui les rendait plus rapides.

Sous le rabat : les cousins des dinos.

## Dino-copains

Certains animaux que nous connaissons aujourd'hui vivaient déjà du temps des dinosaures ! Les crocodiles, eux, existaient avant !

**Nous étions là avant, M. le dinosaure !**

**Giganotosaurus**

Les dinosaures ont disparu il y a 65 millions d'années.

# Grands et petits

Les dinosaures étaient beaucoup plus **grands** que tous les animaux qui vivent aujourd'hui.

## Dino-monstre

Le plus grand des dinosaures est *Sauroposeidon*, plus long que quatre autobus.

6

Dinosaure signifie « lézard terrible », en grec. Mais ce n'étaient pas des lézards.

**sauropodes**

Les plus grands
animaux terrestres
de tous les temps
étaient les sauropodes.

s étaient plus hauts que les arbres !

**tyrannosaures**

*Tyrannosaurus rex* était l'un des dinosaures les plus féroces ;
pourtant il a l'air petit comparé aux sauropodes.

**stégosaures** Plus gros qu'un éléphant, ils portaient des plaques
osseuses grandes comme des cerfs-volants.

**éléphant**

De nos jours, l'éléphant mâle est
le plus grand animal terrestre.

**enfant** Voici ta taille comparée
à celle des dinosaures.

**compsognathus**

*Compsognathus* avait la taille d'un poulet.

*Compsognathus* est l'un des plus petits
dinosaures découverts à ce jour.

7

# Bébés dinosaures

Les dinosaures pondaient des **œufs**, comme les reptiles ou les oiseaux.

## Le plus gros œuf

L'œuf le plus gros qu'on ait découvert appartenait à *Hypselosaurus*. Il avait la longueur de ton avant-bras, du coude jusqu'au bout des doigts. D'autres œufs étaient assez petits pour tenir dans ta main.

Un nid aussi grand qu'une

8

On sait que les dinosaures pondaient…

# Nids de dinosaures

Beaucoup de dinosaures construisaient des nids, comme *Maiasaura* qui pondait dans des nids de boue.

**pataugeoire !**

## Bien élevés

Certains dinosaures nourrissaient leurs petits, comme les oiseaux, jusqu'à ce qu'ils soient indépendants.

**bonjour maman !**

... car on a trouvé des nids fossiles remplis d'œufs.

9

Barosaurus

Pentaceratops

Étranges,

Parasaurolophus

stégosaure

10

# Gallimimus

*Gallimimus* était le plus rapide des dinosaures. Pour échapper aux carnivores comme *Velociraptor*, il pouvait aller à la vitesse d'un cheval.

# velociraptor

Ces dinosaures se regroupaient pour attaquer, armés de dents pareilles à des couteaux et de griffes semblables à des poignards.

attention

nous voilà !

non, pas moi !

15

# Défense !

Avec de terrifiants carnivores comme ce tyrannosaure dans les parages, les dinosaures étaient toujours sur leurs **gardes**. Les gros dinosaures se déplaçant lentement, il leur fallait de bons moyens de défense.

### Queue cinglante

Les grands sauropodes, comme ce *Barosaurus*, avaient la queue aussi longue que le corps. S'ils étaient attaqués, ils en fouettaient leurs ennemis.

Ils étaient trop gros pour se dissimuler.